Mystère et chocolat

D1489076

Jean Alessandrini est né en 1942 à Marseille. Passionné par le graphisme, il illustre souvent des abécédaires où les lettres et les mots ont des formes amusantes.

Jean-Louis Besson est né en 1932 à Paris. Il a suivi les cours des Métiers d'art, puis collaboré avec des agences de publicité. Il est passionné par le dessin, mais aussi par les grandes inventions et les costumes.
Du même illustrateur dans Bayard Poche :
Les jumeaux du roi - Sauvons la maîtresse - Trois rollers pour deux (J'aime lire)

Neuvième édition

© 2009, Bayard Éditions
© 2003, Bayard Éditions Jeunesse
© 1990, Bayard Éditions.
Dépôt légal : avril 2003
ISBN : 978-2-7470-0818-1
Loi du 16 juillet 1949 sur les publications destinées à la jeunesse.

Mystère
et chocolat

Une histoire écrite par Jean Alessandrini
illustrée par Jean-Louis Besson

J'AIME LIRE
bayard poche

Premier étage

Il se passe des choses absolument fan-tas-tiques au 59 bis, rue Léon Robinet. Mais surtout, n'en parlez à personne : motus, top secret ! C'est Sidonie Plumier qui a tout découvert, et voici comment.

Un jour, Sidonie et ses parents arrivent au 59 bis, rue Léon Robinet avec un camion de déménagement : ils vont habiter au premier étage.

Les déménageurs montent les meubles, les caisses, les cartons dans l'appartement, et ils s'en vont. Peu de temps après, Sidonie entend qu'on

gratte à la porte. C'est la concierge, madame
Ratichon. Elle entre en trottinant et elle dit :

– Monsieur et madame Plumier, je vous
apporte les clés de la cave. Et puis je voulais
vous demander...

Madame Ratichon jette autour d'elle des
regards peureux.

– Vous n'avez rien remarqué d'anormal chez
vous ?

Et elle ajoute en baissant la voix :

– Parce qu'il faut que je vous prévienne : il se passe des choses bizarres à tous les étages...

Sidonie s'approche pour mieux entendre. Ça a l'air passionnant.

– ... Tenez, au deuxième étage, il y a ce pauvre monsieur Targette qui a toujours le visage verdâtre. Je me demande si on n'est pas en train de l'empoisonner ! Et au troisième, ce n'est pas mieux : les locataires sont invisibles.

Ce sont les Mâtoucha. On ne les voit jamais, jamais, jamais...

– Des fantômes ? dit Sidonie.

– Peut-être bien. Et au quatrième étage, il y a madame Traboulet, l'épicière. Eh bien, figurez-vous que cette femme reçoit chaque semaine, en grand secret, le maharadjah de Rhâlaboul ! curieux, non ? Et au cinquième, vous n'allez pas me croire, pourtant c'est vrai : les locataires marchent au plafond !

Enfin, au sixième, il y a monsieur Caliban, un homme qui ne dort jamais. C'est éclairé chez lui jour et nuit ! Mais le pire, ici, le pire, c'est...

– Quoi, quoi ? demande Sidonie.

– C'est le monstre ! Et celui-là, je ne sais même pas où il habite. Il pousse des rugissements épouvantables au milieu de la nuit. Quand je l'entends, je me mets du coton dans les oreilles et je me réfugie sous mon lit.

Là-dessus, madame Ratichon pose un baiser sur la joue de Sidonie, et elle repart en trotti-nant vers sa loge.

Monsieur et madame Plumier rigolent, et déclarent qu'elle déraille.

Pendant qu'ils rangent les affaires, Sidonie se met à fouiller l'appartement : elle espère bien trouver quelque chose de bizarre. Et elle y arrive !

Dans la cheminée du salon, elle découvre une tablette de chocolat toute neuve. Elle examine l'emballage. Il est bleu, et il porte simplement ces mots : « Déliciel, chocolat au lait surfin ».

– Tiens ? Je ne connais pas cette marque, c'est peut-être nouveau...

Sidonie grignote un carré de chocolat, puis un autre, puis une barre entière.

– Fameux ! Délicieux, ce Déliciel !

Monsieur Plumier surgit à ce moment :

– Sidonie ! Où as-tu trouvé cette tablette de chocolat ?

– Euh... dans la cheminée ! Elle a dû tomber de chez les voisins par le conduit.

Monsieur Plumier fronce les sourcils.

– Tiens, c'est curieux ! Enfin, va vite la rendre et excuse-toi de l'avoir entamée.

Sidonie obéit. Et la voilà qui monte au deuxième étage, chez l'homme au visage verdâtre.

Deuxième étage

Une carte de visite est fixée par une punaise au-dessus de la sonnette : « Monsieur et madame Targette, et leur fils Luc ». Sidonie appuie sur le bouton.

– Qu'est-ce que c'est ? demande une voix geignarde derrière la porte.

– Je suis la fille de vos nouveaux voisins du dessous, les Plumier !

La porte s'ouvre, et Sidonie se trouve en face d'un bonhomme au visage couleur de poireau. La concierge n'a pas menti : monsieur Targette a vraiment l'air patraque. Il se tient le ventre, et il fixe des yeux la tablette de chocolat que Sidonie lui présente.

– Excusez-moi, monsieur, mais...

Le bonhomme ne la laisse pas s'expliquer, il se jette sur la tablette :

– Ah, du Déliciel ! Enfin !

Il déchire le papier et en moins d'une seconde, il engloutit la tablette de chocolat. Aussitôt il devient plus vert encore, bredouille quelques mots et il repart en titubant vers le fond de l'appartement. Au passage il bouscule un garçon qui vient à la rencontre de Sidonie.

– Tu es Luc Targette ? demande Sidonie.

– Oui. Ne fais pas attention à mon père, il est tellement gourmand qu'il ne peut

pas résister au Déliciel. Tu comprends, il n'en a pas encore reçu aujourd'hui.

– Parce que vous en recevez, vous aussi ? Par la cheminée ? dit Sidonie.

– Ben, évidemment, fait Luc en haussant les épaules. On reçoit deux tablettes par jour.

– Mais alors, elles viennent peut-être du troisième étage ?

– Je n'en sais rien, moi ! dit Luc. Et d'abord, ça ne m'intéresse pas ! Sidonie le regarde sévèrement. Il a l'air ramolli, ce Luc, et pas curieux du tout.

Il marmonne :

15

– C'est surtout mon père qui aime le chocolat. Il est fou de ce Déliciel. Il ne mange que ça.
Pourtant, tu as vu, ça le rend malade comme
un chien.

– Bon, dit Sidonie d'un ton résolu. N'em-
pêche que moi, je veux savoir d'où viennent
ces tablettes. Je monte au troisième... Tu m'ac-
compagnes ?

Luc baisse les yeux, il se gratte la tête et
réajuste ses lunettes. Enfin, il se décide à
répondre :

– D'accord, mais je préfère qu'on y aille demain. Il n'y a pas d'école, et je passerai te chercher en fin de matinée. On montera ensemble chez les Mâtoucha... ceux qu'on entend, mais qu'on ne voit pas... un peu comme le monstre...

Malheureusement, il ne peut pas en dire davantage. Sa mère l'appelle :

– Luc, viens vite ! Il faut que tu ailles à la pharmacie pour ton père !

Troisième étage

Le soir, dans sa nouvelle chambre, Sidonie lutte contre le sommeil : elle guette le rugissement du monstre. Mais rien, c'est le silence, et elle finit par s'endormir.

Le lendemain matin, Luc vient la chercher comme promis et ils montent ensemble au troisième étage. Mais juste avant d'arriver au palier, ils entendent quelqu'un descendre du quatrième, s'arrêter devant la porte des Mâtoucha et glisser une clé dans la serrure.

Sidonie et Luc se couchent sur les marches. En

se tordant le cou, ils peuvent voir sans être vus.

– C'est madame Traboulet, l'épicière ! chuchote Luc. C'est drôle qu'elle entre ici, elle habite au-dessus.

– Dis donc, Luc, tu as vu ce gros paquet qu'elle trimbale ? C'est de la viande, je reconnais le papier de la boucherie !

L'épicière disparaît dans l'appartement. Luc est devenu tout pâle :

– Cette viande... tu... tu crois que c'est pour le monstre ?

– Je n'en sais rien, répond Sidonie. En tout

cas, elle n'avait pas l'air d'avoir peur, madame Traboulet. Allez, on sonne !

Luc essaie de la retenir, mais trop tard : elle a déjà appuyé sur le bouton.

– Me voilà, j'arrive ! chante une voix derrière la porte. Et madame Traboulet apparaît.

– Bonjour les enfants ! Qu'est-ce que vous voulez ?

Elle a l'air gentille, avec son sourire, ses yeux pétillants et sa voix musicale.

– Madame, nous cherchons d'où vient le chocolat qu'on reçoit tous les jours par la cheminée, dit Sidonie.

– Ah ! Vous aussi, vous en recevez ! Mais entrez donc, il ne faut surtout pas laisser la porte ouverte...

Les enfants obéissent. Madame Traboulet continue en fermant derrière eux :

– En tout cas, ça ne vient pas d'ici. Les Mâtoucha reçoivent, eux aussi, leurs tablettes. Trois par jour.

– Ils ne sont pas là ? demande Sidonie.

– Mais bien sûr que si !

Madame Traboulet ouvre la porte d'un salon, et les deux enfants découvrent un décor fabuleux.

Une petite rivière coule à travers l'appartement.

Elle passe sous de petits ponts de bois, elle serpente entre des collines et des prairies miniatures.

Il y a partout des maisonnettes, des pagodes dorées, des chalets en chêne et des isbas en acajou.

On entend un miaulement, puis un autre et, tout à coup, Sidonie et Luc sont entourés d'une ribambelle de chats !

– Nous les avons réveillés ! dit madame Traboulet, avec un sourire attendri. Je vous présente les Mâtoucha. Ce sont les chats abandonnés du quartier. C'est pour eux que j'ai acheté cet appartement et que je l'ai fait décorer.

Madame Traboulet se dirige vers la cuisine. Elle dispose de petits morceaux de viande sur des soucoupes.

– Alors ça, c'est pour eux ? demande Luc.

– Bien sûr, pour qui veux-tu que ce soit ?

– Euh... je pensais... au monstre.

– Le monstre ? Ah oui, le monstre... Mais à ce sujet, les enfants, je n'en sais pas plus que vous.

Sidonie et Luc distribuent la nourriture aux chats. Pendant ce temps, madame Traboulet va ramasser les tablettes de Déliciel qui l'attendent dans la cheminée.

– Inutile de les laisser, les chats ne raffolent pas de chocolat ! Venez maintenant, les enfants, je vous invite à déjeuner. Nous parlerons de tout ça chez moi.

Quatrième étage

Sidonie et Luc courent prévenir leurs parents, et ils se retrouvent chez l'épicière en moins de deux. Sidonie meurt d'envie de poursuivre son enquête, et Luc aussi, maintenant ! Ils aident madame Traboulet à préparer le repas.

– Les tablettes viennent peut-être de l'étage au-dessus, dit Sidonie.

Madame Traboulet hoche la tête :

– Du cinquième ? Ça m'étonnerait. Ces bons-hommes n'ont pas des têtes à distribuer du chocolat.

– Ces bonshommes ? s'étonne Luc. Mais combien sont-ils ?

– Oh, quinze au moins. Parfois, le soir, après le film à la télé, je les rencontre dans l'escalier en remontant ma poubelle. À mon avis, c'est l'heure où ils s'en vont.

– Et ils marchent vraiment au plafond ? demande Sidonie en se rappelant ce qu'a dit la concierge.

– Ça, je n'en sais rien. Mais ils ont une drôle d'allure avec leurs lunettes fumées.

Madame Traboulet met le couvert, et tout le monde passe à table. À la fin du repas, on

entend soudain des coups de sonnette à la porte. Madame Traboulet se lève.

– Ah, le voici ! dit-elle, mystérieuse. Juste pour le café, comme d'habitude.

Elle va ouvrir.

– Bonjour, Majesté ! dit-elle en accueillant le visiteur. Les enfants, je vous présente Son Altesse le maharadjah de Rhâlaboul.

Sidonie sursaute : c'est bien lui, le célèbre maharadjah multimilliardaire ! Il tient une petite valise à la main.

– Chut, madame Traboulet ! dit-il. N'oubliez pas que je suis ici incognito ! Vous avez la marchandise ?

L'épicière tire de son buffet une petite mallette. Elle la pose sur la table.

– Voilà, Majesté. Quarante-neuf tablettes de Déliciel, la récolte d'une semaine chez moi et chez les Mâtoucha !

Le maharadjah ouvre alors sa valise :

– Voilà, madame Traboulet.

La valise est bourrée de billets. Sidonie et Luc en ont le souffle coupé.

Dès que le maharadjah est parti, madame Traboulet leur explique :

– Chaque semaine, il fait le voyage de Rhâlaboul jusqu'ici, pour chercher son chocolat ! Il a appris que le Déliciel était le chocolat le plus rare du monde : on ne le trouve qu'ici, au 59 bis, rue Léon Robinet.

Et, comme le maharadjah est très riche, il ne regarde pas à la dépense pour satisfaire la gourmandise de ses quarante-neuf enfants ! Quant à moi, son argent me sert à acheter de jolis appartements pour mes chats.

Cinquième étage

En sortant de chez madame Traboulet, Luc fait une drôle de tête :

– Quelle histoire, ce maharadjah, ces chats ! Ça me suffit pour aujourd'hui.

– Ah non ! dit Sidonie. Tu ne vas pas laisser tomber. On ne sait même pas d'où viennent les tablettes, ni où se trouve le monstre. Moi, je vais au cinquième.

Luc ronchonne, mais il la suit. Arrivés au cinquième étage, ils entendent des bruits étranges derrière la porte. Ils sonnent et aussitôt les

bruits cessent. La porte s'ouvre brutalement.
Luc fait un bond en arrière : un bonhomme
vient d'apparaître, avec des lunettes noires,
exactement comme avait dit madame Traboulet. Mais ce n'est pas tout ! Le bonhomme
est à l'envers ! Il est suspendu au plafond, grâce
à des chaussures à ventouses !

Derrière lui, une dizaine d'autres types cir-
culent dans l'appartement. Ils manipulent un
tas d'appareils électriques, avec des écrans,
des caméras et des fils partout. Ils filment ce

qui se passe dans l'appartement du dessus grâce à des périscopes !

Luc et Sidonie sont stupéfaits.

– C'est pour quoi ? leur demande l'homme à l'envers, d'un ton sec.

– Euh... fait Sidonie. Mon copain et moi, on se demande si les tablettes qu'on reçoit viennent de chez vous ?

– Sûrement pas. D'ailleurs, nous, nous en recevons cinq par jour. C'est tout ?

– Oui, oui, bredouille Luc. C'est tout.

Et le bonhomme leur claque la porte au nez.

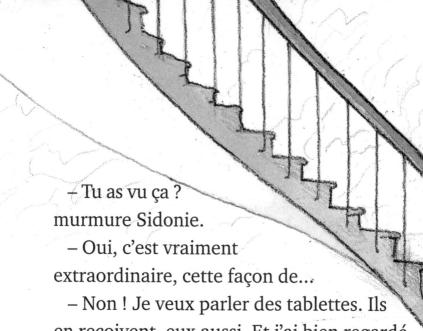

– Tu as vu ça ?
murmure Sidonie.

– Oui, c'est vraiment
extraordinaire, cette façon de...

– Non ! Je veux parler des tablettes. Ils
en reçoivent, eux aussi. Et j'ai bien regardé,
je n'ai pas aperçu la queue d'un monstre.

– Mais qu'est-ce qu'ils fabriquent avec leurs
appareils ? demande Luc. On devrait peut-être
prévenir la police...

– Tais-toi, Luc. Laisse-moi réfléchir.

Sidonie se concentre en fermant les yeux
pendant une minute, et elle s'écrie :

– J'ai tout compris ! Il y a quelqu'un qui
fabrique du chocolat au sixième étage, et les
hommes à l'envers se sont installés en dessous
de chez lui pour découvrir son secret de fabri-

cation : ce sont sûrement des espions !

– Mais alors, il faut tout de suite prévenir monsieur Caliban, le locataire du sixième.

– Pas si vite, Luc ! Il vaut mieux attendre que les espions s'en aillent. Madame Traboulet a dit qu'ils partaient vers onze heures du soir. Alors, rendez-vous là-haut, après le dernier journal télévisé !

Sixième étage

Un peu avant minuit, Luc rejoint Sidonie au dernier étage de l'immeuble, devant la porte de monsieur Caliban.

– Et s'il dormait ? demande Luc.

– Non, non, j'ai vu la lumière d'en bas.

Sidonie frappe à la porte, qui s'ouvre presque aussitôt sur un vieux monsieur barbu, à l'air très doux.

– Bonsoir, les enfants ! Il est un peu tard pour une visite, mais entrez donc.

La première pièce de l'appartement est pleine

de récipients
en cuivre et de
fourneaux :
on dirait une petite
usine. Une délicieuse
odeur flotte dans l'air.

– Un peu de chocolat,
les enfants ?

Et monsieur Caliban
ouvre un cagibi plein
à ras bords de tablettes de Déliciel !

– J'avais raison ! s'écrie Sidonie. C'est vous
qui fabriquez le Déliciel, monsieur...

– Caliban, je suis Jérôme Caliban, grand
maître chocolatier... Alors, comment vous le
trouvez, mon chocolat ?

Les yeux brillants, il se penche vers les
enfants, qui savourent leurs tablettes.

– J'ai découvert la recette du plus merveilleux
chocolat de tous les temps. Moi, hélas, je n'en

mange pas, j'y suis allergique. Mais je veux au moins en faire profiter tous mes voisins ; voilà pourquoi j'envoie chaque jour une quinzaine de tablettes par les conduits de cheminée !

Sidonie dit d'un ton grave :

– Monsieur Caliban, savez-vous qu'il y a des espions en dessous de chez vous ? Ils veulent vous voler le secret du Déliciel !

– Des espions ? Mais pas du tout, mon enfant ! Ce sont des savants. Ils étudient le comportement de...

À cet instant, un rugissement épouvantable retentit et fait vibrer les murs.

– Le monstre ! hurlent Luc et Sidonie.

Mais monsieur Caliban sourit.

– Le monstre ? Hi hi ! Suivez-moi, nous allons lui rendre une petite visite.

Ils traversent une autre pièce, où des centaines de plants de cacao poussent sous des projecteurs. Monsieur Caliban ouvre une porte et annonce :

– Mes enfants, voici le monstre.

Une grosse bête à trois cornes, couverte de longs poils, est couchée sur de la paille. Elle rumine.

– C'est Hortense, dit fièrement monsieur
Caliban. Une vache préhistorique, la dernière
de son espèce. Je l'ai découverte au cours d'un
voyage, sur un glacier. Son lait est d'une fraî-
cheur et d'une finesse de rêve. Bien sûr, quand
les savants du jardin zoologique ont appris son
existence, ils ont voulu l'étudier. Je leur ai per-
mis de le faire à condition qu'ils se mettent au

cinquième
étage, pour ne
pas se montrer. Vous
comprenez, Hortense est
très fragile, son lait pourrait
tourner à la moindre contrariété.
Les enfants avancent timidement la
main vers l'animal.

– Vous pouvez la caresser, elle n'est pas
méchante ! dit monsieur Caliban.

Il ramasse dans un coin quatre énormes
bottes en feutre épais.

– Aidez-moi à la chausser, c'est l'heure de sa
promenade ! Il ne faut pas faire de bruit dans

l'escalier, sinon madame Ratichon pourrait sortir de sa loge. Je ne veux pas qu'elle apprenne mon petit secret.

– Pour ça, il n'y a pas de danger ! dit Sidonie. Elle est déjà sous son lit, avec du coton dans les oreilles. Quant à nous, soyez tranquille, on le gardera bien, votre secret !

Édition

Se faire peur et frissonner
de plaisir

C'est dur
d'être
un vampire

La nuit
des squelettes

Réfléchir et comprendre
la vie de tous les jours

La maison
de mon grand-père

Mon meilleur
copain

Rêver et voyager
dans des univers fabuleux

Le secret de
Farida

La grande
course

Rire et sourire
avec des personnages insolites

Crapounette
à l'école

Alerte :
Poule en panne !

Se lancer dans des aventures
pleines de rebondissements

Le tour du monde
de Nino

La villa
d'en face

Tes histoires préférées
enfin **racontées** !

J'écoute J'AIME LIRE

La confiture
de leçons

La charabiole

Le mot
interdit

Les cent mensonges
de Vincent

Victor, l'enfant
sauvage

Presse

Le magazine *J'aime lire* accompagne les enfants dans des **grands moments de lecture**

Une année de *J'aime lire*, c'est :

- 12 romans de genres toujours différents : vie quotidienne, merveilleux, énigme...

- Des romans créés pour des enfants d'aujourd'hui par les meilleurs auteurs et illustrateurs jeunesse.

- Un confort de lecture très étudié pour faciliter l'entrée dans l'écrit : place de l'illustration, longueur du roman, structuration par chapitres, typographie adaptée aux jeunes lecteurs.

Chaque mois : un roman illustré inédit, 16 pages de BD, et des jeux pour découvrir le plaisir de jouer avec les mots.

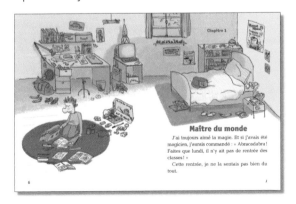

Pour en savoir plus : **www.jaimelire.com**

Achevé d'imprimer en juin 2010 par Pollina - L54093
Imprimé en France